Les Romains

écrit par **Fiona Macdonald**
traduit par **Sendra Dubrana**

Nathan

Édition originale parue sous le titre :
I Wonder Why Romans Wore Togas
Première édition : Kingfisher 1997
Copyright © 1997 Larousse plc, Londres
Copyright © Macmillan Children's Books 2012,
une division de Macmillan Publishers Ltd., Londres
Auteur : Fiona Macdonald
Consultant : Paul Roberts

Illustrations : Simone Bovi (Virgil Pomfret) 16-17 ; Peter Dennis
(Linda Rogers) 8-9, 28-29 ; Luigi Galante (Virgil Pomfret) 4-5,
18-19, 28-29 ; Christian Hook 22-23, 30-31 ; Nicki Palin 6-7,
14-15, 24-25 ; Claudia Saraceni 12-13 ; Rob Shone 30bl ;
Thomas Trojer 20-21 ; David Wright (Kathy Jakeman) 10-11. ;
Tony Kenyon (BL Kearley) tous les dessins humoristiques.
Couverture : Olivier Nadel (légionnaire) ; Corbis (fond).

Édition française :
Copyright © 1998, 2005, 2012 NATHAN
Pour la présente édition : © 2014 NATHAN, SEJER,
25 avenue Pierre de Coubertin, 75013 Paris
Traduction : Sendra Dubrana
Réalisation : Martine Fichter
N° éditeur : 10200663
ISBN : 978-2-09-255290-2
Dépôt légal : août 2012
Conforme à la loi n° 49-956 du 16 juillet 1949
sur les publications destinées à la jeunesse,
modifiée par la loi n° 2011-525 du 17 mai 2011.
Achevé d'imprimer en juin 2014 par Wing King Tong
Products Co. Ltd., Shenzen, Guangdong, Chine
www.nathan.fr

LES QUESTIONS DU LIVRE

Qui étaient les Romains ?

Les Romains étaient le peuple de Rome, capitale de l'Italie actuelle, il y a plus de 2 000 ans. En 100 apr. J.-C., leurs puissantes armées avaient conquis de nombreuses terres. Ils dominaient un très vaste empire, l'un des plus puissants de tout le monde antique.

Il y avait de grandes différences de climat d'un endroit à l'autre de l'Empire. Au sud, les Romains souffraient de la chaleur en Égypte, lors d'étés étouffants...

Une légende raconte que Rome fut fondée par Romulus en 750 av. J.-C. Son frère jumeau, Rémus, et lui étaient les fils de Mars et de Rhéa Silvia, une vestale. Celle-ci n'ayant pas le droit d'enfanter, ils furent abandonnés dans un panier sur le fleuve Tibre, puis allaités par une louve et enfin recueillis par un berger.

GRANDE-BRETAGNE
(Bretagne)

Mur d'Hadrien

Londres

FRANCE
(Gaule)

• Lyon

Alpes

ESPAGNE

Pyrénées

ITALIE

• Rome

Pompéi •

Mer Méditerranée

Carthage

AFRIQUE

Tous les Romains vivaient-ils à Rome ?

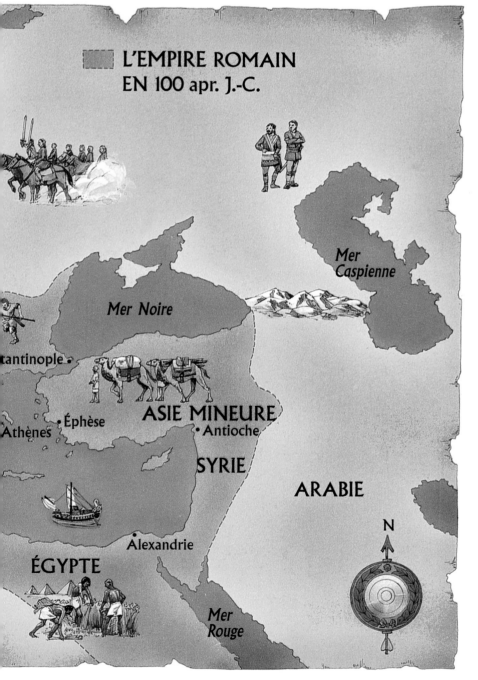

...mais, plus au nord, ils devaient supporter des températures glaciales dans les Alpes ou au nord de la Grande-Bretagne, les endroits les plus froids de l'Empire.

L'EMPIRE ROMAIN EN 100 apr. J.-C.

Mer Caspienne

Mer Noire

tantinople

Éphèse

ASIE MINEURE

Antioche

Athènes

SYRIE

ARABIE

Alexandrie

ÉGYPTE

Mer Rouge

N

La ville de Rome n'était pas assez grande pour accueillir tous les Romains ! L'Empire, qui s'étendait de la Grande-Bretagne, au nord, jusqu'en Afrique, au sud, comptait environ 50 millions de personnes. Les peuples qui composaient cet immense territoire étaient très différents. Ils devaient obéir aux lois de Rome, et étaient protégés des Barbares (tous ceux qui vivaient hors des frontières de l'Empire) par l'armée romaine.

5 000 km

La traversée de tout l'Empire à cheval, seul moyen de transport à l'époque, prenait presque 100 jours. C'était un voyage d'environ 3 000 milles romains, ce qui représente une distance de 5 000 kilomètres.

Qui dirigeait Rome ?

Au fil du temps, Rome a été gouvernée de trois façons : d'abord par des rois (plusieurs monarchies se succédèrent), puis par des administrateurs élus par le peuple (République romaine), et enfin par des empereurs, on parle alors d'Empire romain.

Certains empereurs romains gouvernèrent avec sagesse, d'autres donnèrent libre cours à leurs caprices...

Néron était fou et méchant. On dit qu'il mit le feu à la ville de Rome.

Hadrien visita chaque recoin de l'Empire et le rendit plus puissant.

Caligula dépensa sans compter et dilapida les richesses de Rome. Il se prenait pour un dieu.

Qui naissait libre ?

Les citoyens romains !
Ils pouvaient voter aux élections,
avoir des places gratuites
à l'amphithéâtre et utiliser
librement les thermes publics.
Quand les temps étaient durs,
ils recevaient aussi du pain
gratuitement.

Les Romaines n'avaient pas le droit de vote et devaient obéir à leur père, puis à leur mari. Mais cela ne veut pas dire qu'elles étaient toujours dociles ! Chargées du foyer, elles s'occupaient des enfants jusqu'à leur entrée à l'école.

Qui étaient les esclaves des Romains ?

Presque toutes les tâches pénibles étaient
accomplies par des esclaves. Ces hommes, femmes
et enfants étaient le plus souvent capturés lors
de conquêtes militaires, et vendus sur les marchés
de Rome. Ils devaient porter une plaque d'identité
avec le nom et l'adresse de leur maître, au cas où
ils se perdraient. Les esclaves n'avaient aucun droit.

Le premier empereur romain s'appelait Auguste (« très respectable », en latin). Il était conseillé par un groupe d'hommes riches, les sénateurs, qui étaient habitués à diriger l'armée et le gouvernement.

Les esclaves étaient parfois libérés, on dit aussi affranchis, après des années de bons services, ou si leur maître voulait se montrer généreux.

Quelle ruse utilisait l'armée ?

Lorsque les soldats romains s'avançaient vers l'ennemi, ils utilisaient une ruse particulière appelée « la tortue ». Ils tenaient leur bouclier haut au-dessus de leur tête pour former à plusieurs une sorte de carapace qui les protégeait des flèches et lances des ennemis. Mais ce système avait un gros inconvénient : il les empêchait de bien voir où ils allaient !

Chère Maman, wwwww
C'est terrible. Les Barbares sont fous furieux et je crois que le centurion me déteste. S'il te plaît, envoie-moi V sesterces pour manger. Ton fils bien-aimé,
Marcus

Les soldats avaient souvent faim et froid. Ils étaient nombreux à écrire à leur famille pour demander nourriture et vêtements.

Les soldats pansaient leurs blessures avec des toiles d'araignée trempées dans du vinaigre. Sans doute efficace pour les blessés, mais rude traitement pour les araignées !

Quels soldats partaient pour 25 ans ?

La plupart des soldats devaient passer 25 ans à l'armée. Les citoyens romains étaient plus chanceux, ils pouvaient en repartir après seulement 20 ans ! Les soldats vivaient durement. Loin de chez eux, ils devaient en plus supporter un entraînement pénible et des punitions sévères. Ils parcouraient de longues distances à pied chaque jour tout en portant un lourd équipement.

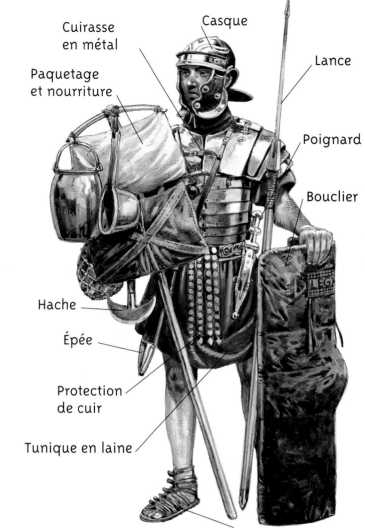

Cuirasse en métal

Casque

Lance

Paquetage et nourriture

Poignard

Bouclier

Hache

Épée

Protection de cuir

Tunique en laine

Sandales en cuir

Dans les régions chaudes de l'Empire, les soldats s'habillaient peu sous leurs tuniques. Dans les régions plus froides, ils portaient d'épais caleçons de laine et des chaussettes en peau de lièvre.

Qui attaqua les Romains avec des éléphants ?

En 220 av. J.-C., Hannibal était un grand chef militaire carthaginois. Parti d'Espagne, il conduisit une puissante armée et un troupeau d'éléphants à travers les Pyrénées et les Alpes enneigées vers l'Italie, pour s'emparer des territoires romains. Durant la bataille, les éléphants chargèrent les soldats romains, qui s'enfuirent, terrorisés.

La puissante reine d'Égypte, Cléopâtre, utilisa sa beauté pour séduire Jules César (dont elle aurait eu un fils), puis Marc Antoine, un dirigeant romain, pour conserver son pouvoir face aux Romains.

En Bretagne (aujourd'hui la Grande-Bretagne), les Romains construisirent le mur d'Hadrien, long de 118 kilomètres, pour repousser les invasions écossaises.

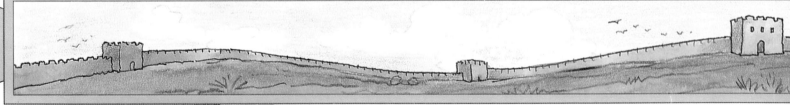

Quelque 40 000 hommes et 37 éléphants firent la longue et dangereuse marche qui partit d'Espagne et traversa les Pyrénées, le sud de la France, le Rhône et enfin les Alpes. Beaucoup moururent de froid en chemin.

Quels animaux sauvèrent les Romains ?

Un troupeau d'oies sacrées vivait dans le temple de Junon sur la colline du Capitole, à Rome. Par une nuit sombre, une tribu de Gaulois s'apprêtait à attaquer. Ils grimpèrent sur la colline, mais furent entendus par les oies. Elles se mirent à cacarder et à battre des ailes, donnant l'alerte aux Romains, qui purent ainsi repousser les assaillants, et furent sauvés.

Qui tailla les Romains en pièces ?

La reine Boudicca régnait sur l'un des peuples de Grande-Bretagne lorsque les Romains envahirent l'île. Elle prit la tête de la révolte qui infligea de sévères pertes à l'armée romaine. La légende raconte qu'elle fixait des couteaux pointus aux roues de son char et fonçait droit sur les lignes des soldats ennemis !

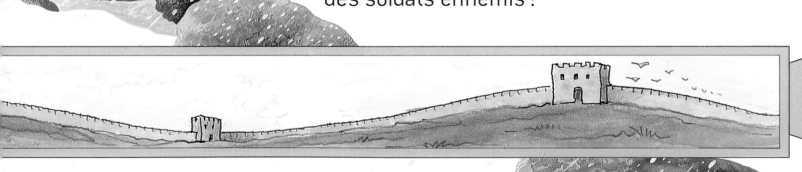

Qui les Romains adoraient-ils ?

Les Romains adoraient des centaines de dieux et de déesses. Ils pensaient que les dieux les protégeaient jour et nuit. Certains surveillaient la terre et la mer. D'autres veillaient sur les médecins, les commerçants ou les soldats. D'autres encore prenaient soin des différents aspects de la vie : santé, beauté ou amour. On leur demandait leur avis par l'intermédiaire des prêtres, on les remerciait d'un bienfait en leur faisant des offrandes.

Jupiter,
roi des dieux

Les Romains pensaient que les serpents portaient chance. Ils les peignaient sur les murs de leur maison pour qu'ils les protègent.

Mars,
dieu de la Guerre

Les Romains croyaient que des esprits vivaient dans la nature, qu'ils habitaient les rivières, les bois et les champs, et protégeaient les animaux sauvages et les plantes.

Vénus,
déesse de l'Amour

Junon,
reine des dieux

Les malades priaient les dieux pour guérir. Si finalement ils se rétablissaient, ils déposaient dans le temple une statuette représentant la partie de leur corps qui avait été guérie, en guise de remerciement.

Neptune,
dieu de la Mer

Diane,
déesse de la Lune et de la Chasse

Les Romains érigèrent des temples pour accueillir les dieux. Chaque dieu ou déesse avait son propre temple, qui était construit dans la pierre la plus raffinée, décoré de statues et de sculptures.

Apollon,
dieu du Soleil et des Arts

Qui avait la peau pâle ?

Une peau pâle était, pour une femme, la preuve qu'elle appartenait à une famille riche et noble. Les plus pauvres, qui devaient travailler dehors, ne pouvaient avoir le teint blanc. En effet, leur visage brunissait sous le chaud soleil d'été et devenait rêche et rouge au contact du vent froid d'hiver.

Les crèmes pour la peau, préparées par les esclaves, étaient faites à base de farine, de craie, de plomb et de lait d'ânesse.

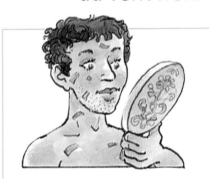

Les hommes élégants avaient coutume de se parfumer et de se maquiller. Ils masquaient boutons et cicatrices avec de petits morceaux de cuir.

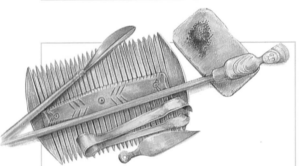

Pour leur toilette, les Romains utilisaient des accessoires que nous connaissons toujours aujourd'hui : des peignes et des épingles à cheveux en os, des fers à friser à chaud, des pinces à épiler et de petites cuillères pour ôter la cire des oreilles.

Comment les Romaines traitaient-elles leur coiffeuse ?

La plupart des Romaines nobles avaient des femmes esclaves pour les coiffer avec lesquelles elles étaient parfois cruelles. Certaines n'hésitaient pas à les piquer si elles leur tiraient trop fort les cheveux, ou même à les fouetter si la coiffure était ratée.

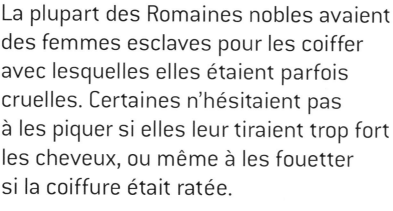

Les perruques étaient très à la mode. Les cheveux blonds provenaient d'esclaves allemandes, les cheveux noirs de jais étaient achetés en Inde aux femmes pauvres.

Pourquoi les Romains portaient-ils des toges ?

Interdit aux esclaves, le port de la toge était réservé aux citoyens romains. Un citoyen ordinaire avait une toge blanche unie, celle d'un sénateur était bordée de violet, et celle de l'empereur était entièrement violette. Les femmes portaient des toges de différentes couleurs.

Où les Romains prenaient-ils leur bain ?

Dans l'Antiquité romaine, les thermes, ou bains publics, ne servaient pas seulement à se laver. Ils ressemblaient plus aux centres de remise en forme actuels. Les Romains aimaient y aller pour faire du sport, rencontrer leurs amis, discuter, se détendre après une dure journée de travail... et faire leur toilette, par la même occasion !

Les Romains n'utilisaient pas de savon, mais ils n'étaient pas sales. Ils s'enduisaient tout le corps d'huile d'olive. Puis, ils l'enlevaient avec un racloir arrondi appelé strigile. La sueur et la saleté partaient alors avec l'huile.

De l'air de fours souterrains était utilisé pour chauffer l'eau des bains. Mais cela rendait le sol au fond des bassins brûlants, aussi certains Romains portaient-ils des sandales pour ne pas s'abîmer les pieds !

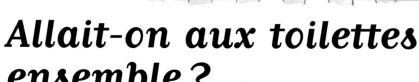

Allait-on aux toilettes ensemble ?

Les Romains n'allaient pas aux toilettes seuls. Parfois, jusqu'à seize personnes s'asseyaient côte à côte, riant et discutant entre elles. Toutes les villes avaient des cabinets publics à sièges multiples. Ces toilettes étaient peu chères à construire et faciles à nettoyer.

OCCUPÉ

Les maisons avaient rarement des toilettes. On utilisait donc de grandes jarres en terre.

Qui habitait en hauteur ?

L'espace habitable manquait à Rome. La plupart des gens du peuple vivaient dans des immeubles de six étages. Le rez-de-chaussée était occupé par des boutiques et des tavernes bruyantes. Sous les toits, les mansardes étaient étouffantes. Il valait mieux habiter entre les deux !

Les Romains aimaient jardiner. Les riches avaient des jardins pourvus de bassins et de fontaines. Mais même les plus pauvres ornaient de fleurs leurs rebords de fenêtres.

Les immeubles romains étaient si mal construits qu'ils s'écroulaient souvent. L'empereur Auguste fit une loi pour interdire les nouvelles constructions de plus de 20 mètres de haut afin d'éviter ces accidents meurtriers.

Quelles maisons avaient un trou dans le toit ?

Les maisons des riches étaient construites autour d'une cour intérieure. Le toit ouvert laissait passer la lumière du jour et les brises fraîches l'été, mais aussi le vent froid et la pluie l'hiver.

Quel chien de garde était en pierre ?

Beaucoup de maisons romaines avaient un chien de garde représenté en mosaïque près de la porte d'entrée ; ces mosaïques étaient constituées de petits morceaux de pierre. L'inscription CAVE CANEM (« Attention au chien ») accompagnait souvent cette image et avait pour but de dissuader les voleurs !

Qui apportait esclaves, épices et soie ?

Les marchands voyageaient dans tout l'Empire et au-delà pour rapporter toutes les marchandises nécessaires à la vie de la cité romaine et de ses nombreux habitants. Ils faisaient le commerce d'articles très courants comme des céréales ou du bois, mais aussi d'esclaves capturés en Afrique du Nord, d'épices indiennes ou de soie fabriquée de Chine.

Ostie était le port de Rome, situé à 25 kilomètres de la ville. Des sacs de grains, des amphores de vin et d'huile d'olive étaient stockés dans les entrepôts du port et acheminés sur les marchés par bateau.

L'hiver, un grand nombre de marchands laissaient leur bateau au port, à l'abri des tempêtes et des naufrages.

Pour éviter les embouteillages à Rome, les marchands et les fermiers devaient apporter leurs produits la nuit. Avec toutes ces charrettes bruyantes, cela devait être difficile de dormir !

Où se trouvait le plus grand centre commercial du monde ?

Au-dessus du gigantesque forum de Trajan au centre de Rome, les marchés de Trajan formaient un espace commercial constitué de 150 boutiques, de bureaux et d'un grand espace ouvert où les marchands installaient leurs étals. Les citoyens venaient s'y promener et regarder les marchandises en bavardant avec leur famille et leurs amis.

Les Romains mangeaient-ils déjà des pizzas ?

Les tavernes vendaient des plats chauds et des boissons, les cuisines étant rares et les fours interdits dans les immeubles.

En ville, les Romains achetaient des tourtes chaudes rappelant les pizzas actuelles. Les pauvres ne disposaient pas de cuisine chez eux, et devaient acheter leurs repas tout préparés dans des échoppes à l'extérieur. Ces sortes de « pizzas », étaient recouvertes d'oignons, de poisson et d'olives, mais pas de tomates, qui ne furent importées d'Amérique du Sud que 1 500 ans plus tard.

Durant l'été, les plus riches rafraîchissaient leurs boissons avec de la neige et de la glace, que des esclaves allaient chercher en montagne et ramenaient en ville.

Pourquoi vomissait-on aux banquets ?

Lors des grands banquets, les délicieux plats
et breuvages étaient si nombreux
qu'il était impossible de tout goûter.
La solution : sortir de table pour
se faire vomir et revenir ensuite
pour manger de nouveau !

Les riches Romains mangeaient toutes sortes de plats originaux tels que de l'autruche bouillie ou des loirs au miel. Ils aimaient aussi les surprises. Une fois, lors d'un banquet, des oiseaux vivants sortirent d'un cochon rôti !

Qui mangeait allongé ?

Les Romains aisés ne s'asseyaient pas à table.
Ils mangeaient allongés sur des divans en bois,
et s'appuyaient sur leurs coudes pour discuter.
Les enfants s'asseyaient sur des tabourets
aux côtés de leurs parents.
Des esclaves lavaient et séchaient
les mains des convives,
car tout le monde mangeait
avec ses doigts !

Qui pouvait aller à l'école ?

Les enfants des familles aisées allaient à l'école dès l'âge de sept ans. Les plus riches étaient instruits à domicile par un précepteur privé. Les enfants des pauvres étaient formés par de simples citoyens dans des écoles de rue. Mais certains restaient chez eux pour aider leurs parents à la maison ou aux champs. D'autres cherchaient du travail ou jouaient dans la rue.

Les enfants romains étudiaient seulement trois matières à l'école : la lecture, l'écriture et le calcul.

Quelle langue parlaient les Romains ?

Tous ceux qui vivaient dans l'Italie actuelle parlaient latin. Ailleurs, dans les différents pays constituant l'Empire, on parlait la langue locale. Mais il y en avait tellement que les habitants de toutes les régions de ce vaste territoire devaient apprendre aussi le latin afin de pouvoir communiquer. C'était alors la langue la plus parlée au monde !

Les filles quittaient l'école à onze ans mais les garçons y restaient jusqu'à seize ou dix-huit ans.

Avec quoi jouaient les enfants ?

Certains jouets d'aujourd'hui ressemblent à ceux des petits Romains : cerceaux, toupies, poupées, chars miniatures... Ils jouaient aux billes avec de petites noisettes ou s'amusaient avec des dés en os. Des vessies de cochons gonflées comme des ballons servaient même à jouer au football !

Les Romains aimaient écrire sur les murs. Sur de nombreux bâtiments, on peut encore voir les injures qu'ils écrivaient à propos de leur chef, de leurs ennemis ou même de leurs amis !

Les Romains écrivaient les chiffres avec des lettres : I correspond à 1, V correspond à 5, X correspond à 10, L correspond à 50, etc.

I, II, III, IV, V, VI, VII, VIII, IX, X, XI, XII, XIII, XIV...

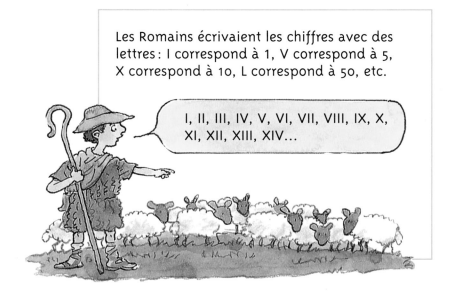

Pourquoi les routes étaient-elles si droites ?

Les Romains étaient de brillants ingénieurs. Avant de construire une route, ils utilisaient des instruments de mesure pour calculer son itinéraire. Ils choisissaient le trajet le plus court possible, et donc le plus droit, pour relier deux camps, forts ou villes, et enlevaient tout arbre, construction ou obstacle se trouvant sur ce chemin. Les routes, appelées voies romaines, étaient nombreuses et reliaient tout l'Empire.

PLAN - Vue de côté

ARCHITECTE
Marcus Agrippa II

Les constructeurs plaçaient des bornes de pierre le long des routes, de loin en loin. Sur ces bornes étaient gravées des indications de distance pour informer les voyageurs. Un mille romain correspondait à 1,481 kilomètre.

ROME
500
MILLES

Les routes étaient faites d'une épaisse couche de sable couverte de cailloux puis de graviers. Au-dessus, on imbriquait des pavés soigneusement taillés pour obtenir une surface plane. Certaines voies romaines existent toujours.

Quels ponts étaient toujours remplis d'eau ?

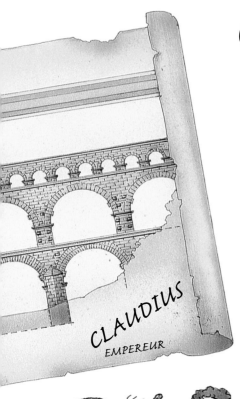

CLAUDIUS
EMPEREUR

Les aqueducs sont des sortes de ponts, mais un profond canal rempli d'eau y remplace la route. Les Romains construisirent de nombreux aqueducs pour acheminer l'eau des torrents montagneux vers les habitations. Un ingénieux système qui alimentait les villes importantes, leurs thermes, toilettes et fontaines en eau fraîche.

Les Romains inventèrent aussi les voûtes arrondies, ou arches. Une charpente en bois soutenait la mise en place de chaque pierre, jusqu'à la pose de la dernière qui maintenait l'ensemble : la clé de voûte.

Les Romains inventèrent le béton en mélangeant de la chaux, de l'eau et de la cendre volcanique. Ce béton était aussi dur que la pierre, résistant même à l'eau.

Qui était jeté aux lions ?

Certains jours, les gens affluaient dans l'amphithéâtre pour assister à des spectacles extraordinaires. Des prisonniers, des criminels ou des esclaves étaient jetés dans l'arène avec les lions pour être chassés et tués. Ils devaient combattre ces animaux sauvages spécialement affamés pour l'occasion. Les Romains acclamaient bruyamment ce spectacle qui les amusait et qui ne se terminait qu'à la mort des combattants.

L'amphithéâtre de Rome, le Colisée, était le plus grand de tout l'Empire. Il pouvait recevoir 50 000 spectateurs assis. Ses vestiges impressionnants se visitent toujours aujourd'hui...

Les gladiateurs étaient des prisonniers ou des esclaves tout spécialement entraînés pour tuer des animaux ou s'entre-tuer. Certains vainqueurs devenaient des héros et pouvaient même être affranchis.

Lions, léopards, crocodiles, loups, ours et autres animaux sauvages étaient capturés aux quatre coins de l'Empire. Ils étaient ensuite envoyés à Rome par bateau. Des milliers d'animaux pouvaient être tués dans l'arène en une seule journée.

Quel sport pratiquait-on dans l'hippodrome ?

L'hippodrome, ou cirque, était un immense stade avec une piste de course ovale. Le plus célèbre d'entre eux était le Circus Maximus, à Rome. Il s'y déroulait des courses de chars tirés par des chevaux. C'était le sport préféré des Romains, et des foules énormes remplissaient l'hippodrome pour parier sur leurs équipes favorites.

Où peut-on visiter une ville romaine ?

Pompéi était une ville très active et florissante située dans la baie de Naples. En l'an 79 apr. J.-C., le volcan voisin, le Vésuve, entra en éruption et ensevelit toute la ville sous les cendres. Pompéi resta enfouie pendant des siècles jusqu'à ce que des fermiers découvrent des vestiges romains. On peut aujourd'hui visiter ce lieu et imaginer la vie à l'époque romaine.

Les archéologues font des recherches à Pompéi depuis le 19e siècle, et ont mis au jour une ville romaine presque intacte.

RECONSTITUER UN CORPS

1 Ensevelis sous les cendres, les corps des habitants figés dans leur dernière attitude se sont décomposés, laissant leur empreinte dans la cendre durcie ou la roche.

2 Les archéologues qui découvrirent Pompéi eurent l'idée d'utiliser ces empreintes comme des moules. Ils y versèrent du plâtre.

3 En ôtant ensuite la roche, ils obtinrent des répliques exactes de ces corps pétrifiés, en plâtre, qui leur permirent d'en savoir plus sur la vie romaine.

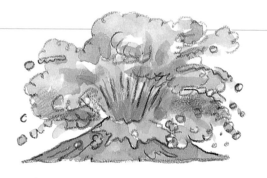

Le Vésuve entra en éruption et projeta des pluies de cendres brûlantes sur Pompéi. Ses fumées toxiques tuèrent les habitants. Ce volcan est toujours actif.

Attaqué par les guerriers venus du nord et de l'est, l'Empire finit par s'affaiblir, et par se diviser en plusieurs petits royaumes. Les historiens appellent cette période le déclin de l'Empire romain.

Comment connaissons-nous les Romains ?

L'Empire romain prit fin dans les années 470 apr. J.-C. Pourtant, des mosaïques, des écrits, des peintures, des armes et de nombreuses constructions remarquables, comme le pont du Gard, ont survécu. Ces vestiges nous apprennent beaucoup sur les Romains et leur mode de vie.

Certaines découvertes romaines sont tout à fait étonnantes. À Londres, au cours de leurs fouilles, des archéologues ont déterré une culotte en cuir noir. Qui a bien pu la perdre il y a tant d'années ?

Index